Danser
Non merci !

Adèle Geras
Claude et Denise Millet
Texte français
de Rose-Marie Vassallo

Père Castor
Flammarion

BIBLIO OTTAWA LIBRARY

1. La danse
des flamands roses

– Ooh Maman ! gémit Lila. Je suis
vraiment, vraiment obligée d'y aller ?
– Oui, dit sa mère. Ce soir, je rentre tard,
et je ne veux pas que tu restes seule
à la maison. Après l'école, tu accompagneras
ta sœur à son cours de danse, puis vous irez
toutes les deux goûter chez Marion.
Je passerai vous prendre chez elle
vers six heures et demie.

–C'est pas juste ! proteste Lila.

Jo, la danse, elle adore ça.

Alors que moi, je déteste !

–Personne n'a dit que tu devrais danser.

–Bon, mais je ferai quoi,

pendant son cours ?

–Tu n'as qu'à emporter un livre, dit

sa mère. Mais je parie que tu regarderas

la danse. C'est très joli à regarder.

–Alors là, sûrement pas ! s'écrie Lila.

La danse, c'est affreusement barbant !

Et elle fait une horrible grimace.

Sur le chemin de l'école de danse,
Lila grommelle et traîne les pieds.
Jo avance d'un pas joyeux.
Elle adore ce cours de danse
avec madame Thomas, le mardi.
Elle adore enfiler son collant rose
et ses petits chaussons de satin.

– Zut pour la danse ! bougonne Lila.
D'abord, moi, c'est du cheval
que je voudrais faire. Pourquoi toi,
tu fais ce que tu veux et moi pas ?
– Tu imagines, un peu, un cheval
dans les rues ? répond Jo. Tu m'excuseras
mais, dans une grande ville, faire
de la danse, c'est plus facile. Tu ferais
mieux de t'y mettre, toi aussi.
– Moi ? dit Lila. Jamais ! La danse,
c'est bien trop nunuche.

–Nunuche ? Sûrement pas.

–Si, dit Lila.

–Non, soutient Jo. La preuve :
dans mon groupe, il y a quatre garçons !

–Alors, c'est des garçons nunuches.

Il tarde à Lila d'être à la maison
et de piloter son avion imaginaire,
perchée sur son lit, celui du haut,
au-dessus du lit de Jo.

–Arrête de râler, dit Jo.

Viens plutôt avec moi au vestiaire.

Les garçons se changent
dans une petite pièce au fond de la salle.
Le vestiaire fourmille de demoiselles
qui bavardent et pouffent
à qui mieux mieux. Elles ouvrent
leurs mallettes ou leurs sacs
et en sortent leurs affaires de danse.
Elles accrochent leurs vêtements
à des patères. Souvent, un pull tombe
par terre, ou une écharpe, ou un pantalon
que tout le monde piétine joyeusement.
Personne n'y prête attention.
Ces demoiselles sont trop occupées.

Elles remontent leurs cheveux
en petits chignons ronds.
Elles enferment leurs chignons
dans des filets.
Elles enfilent leurs chaussons roses.
Elles nouent avec soin leurs rubans
de satin.
Elles s'éparpillent en sautillant
dans la grande salle.

«On dirait des flamands roses» se dit
Lila. Elle en a vu à la télévision.
Ce sont de grands oiseaux rose bonbon,
avec de longues pattes toutes minces.
«Sauf que les flamands ne font pas
tant de chichis, songe Lila.
Ni des mines devant le miroir
en rajustant le chignon.»

Madame Thomas aussi est grande
et mince. Elle dit à ses élèves de se taire
et de s'aligner, et leur fait répéter
des exercices.
Une dame en gilet rouge joue du piano.
"Pling-plong-pling !" fait la musique,
et le parquet grince. De l'avis de Lila,
c'est plus drôle que joli. Mais pas
si ennuyeux que ça, tout compte fait.

Au bout d'un moment,
madame Thomas annonce :
– Et maintenant, les enfants,
on s'assoit par terre et on écoute bien.
Comme vous le savez, il va être temps
de préparer notre gala de Noël.
Cette année, nous allons danser
une scène inspirée d'un ballet
très connu : *Casse-Noisette.*
C'est l'histoire d'une petite fille, Clara,
qui reçoit pour Noël un casse-noisette
magique en forme de petit personnage.
Durant la nuit, le casse-noisette prend
vie, et Clara et lui doivent faire face
à une armée de souris. Clara lance
sa pantoufle sur le roi des souris,
et les souris s'enfuient. Voilà.
Certains d'entre vous seront donc
des souris, écoutez bien,
voici les noms…

Jo fera partie des souris !
À son sourire jusqu'aux oreilles,
Lila voit bien qu'elle est ravie.

2. Le jour et la nuit

– Je suis une souris ! répète Jo.
Une souris dans *Casse-Noisette* !

Elle n'a jamais été aussi heureuse
de sa vie.

Jo et Lila ont beau être sœurs,
elles se ressemblent bien peu.

–C'est moi qu'on aurait dû appeler Jo !
soupire Lila quelquefois. Lila, ça fait
bien trop fille ! Presque un nom
de fleur, c'est idiot. Jo, au moins,
ça pourrait être une fille ou un garçon.
C'est mieux !

–Sauf que mon vrai nom, c'est Joanne,
rappelle Jo. Pas du tout un nom
de garçon.

Qu'elles sont différentes l'une
de l'autre ! "Le jour et la nuit", disent
les gens. "L'eau et le feu".

À neuf ans, Jo est petite et frêle.
Lila n'a pas encore huit ans, et elle est
déjà de la même taille. Elles pourraient
échanger leurs vêtements.

Sauf que Jo adore le rose et que Lila
en a horreur. Jo aime les robes à fleurs,
les trou-trous, les dentelles ;
Lila ne veut que des pantalons,
avec un tee-shirt en été et un gros pull
en hiver. Jo aime les petits souliers vernis,
des souliers de poupée, selon Lila.
Lila n'aime que les chaussures de sport,
avec des tas de couleurs
et d'énormes semelles.

Chaque fois qu'elles jouent ensemble, tout commence par une grande discussion.

– On serait des pirates ! crie Lila.

– Des princesses qui prennent le thé, dit Jo.

– Des explorateurs ! suggère Lila.

– Des mamans avec leurs bébés, dit Jo.

D'ordinaire, c'est plutôt Jo
qui l'emporte, parce que c'est elle
l'aînée. Mais Lila met son grain de sel :
– Bon, d'accord. Tu seras une princesse
qui prend le thé, et moi je serai
un pirate invité !

Jo accepte avec un soupir. Elle laisse
même Lila porter son bandeau sur l'œil.
Discuter avec Lila, ça peut durer
des heures. Résultat, on n'a même plus
le temps de jouer.

Tous les jours, Jo s'exerce à sa danse de souris.

– Montre-moi la danse de la bataille, dit Lila. Les batailles, c'est super. Tu auras une épée ?

– Oui, dit Jo. Ou peut-être un bâton.

– J'espère que ce sera une épée, dit Lila. Comme ça, tu pourras me la prêter.
Tu l'apporteras à la maison ?

– Ça m'étonnerait. Madame Thomas gardera les épées dans son placard,
je parie.

– J'aimerais bien être une souris,
dit Lila. Surtout pour la bagarre.
Montre-moi ce qu'on vous fait faire.
Je vais m'exercer avec toi !

– On n'a pas la musique, dit Jo.

– Pas grave. Tu peux prendre mon sabre de pirate, si tu veux. Moi aussi je serai une souris, d'accord ? Fais voir les pas qu'on vous apprend.

Alors, Jo montre à Lila tout
ce que madame Thomas fait faire
à ses souris. Lila adore le passage
où il faut se faufiler en douce.
Elle aime brandir dans les airs
le cintre qui lui sert de sabre.
Mais ce qu'elle préfère par-dessus tout,
c'est foncer sur la pointe des pieds.

Un seul ennui : la chambre est
trop petite. Et bim ! Lila se cogne
à la maison de poupée de Jo !
La petite théière bleue voltige,
aïe aïe aïe ! Lila recule un grand coup
et vlouf! elle piétine un oreiller,
puis ce pauvre Flop, le lapin
en peluche.

–Hé ! doucement ! prévient Jo.
Moi, je vais t'interdire de danser
si tu démolis tout !
–Je vais faire très attention, promet
Lila. Oh ! c'est super d'être une souris !
On recommence.

3. Une souris déçue

Un jour que Jo et Lila sont seules,
Jo interroge sa sœur :

– Tu veux que je te dise un secret ?

– Oui, c'est quoi ?

– Finalement, ça m'embête un peu
d'être une souris, pour le gala.
J'aimerais mieux être un flocon
de neige. Les flocons de neige ont
des tutus blancs, tout courts,
et des paillettes dans les cheveux.

–Mais tu étais contente d'être
une souris, lui rappelle Lila.
Tu le disais, que tu étais contente.
–Oui, bon, je le suis encore, admet Jo.
Mais c'est ce costume, tu comprends.
Je le trouve bêta. J'aimerais mieux être
un flocon. Comme les filles
de deuxième année.
–Tu le seras une autre fois, la console
Lila.

   Jo garde l'air sombre.
–Tu seras une très jolie souris, assure
Lila.

Mais sa sœur a beau dire,
Jo se tracasse pour ce costume.
–Il faut du satin rose pour l'intérieur
de mes oreilles, dit-elle à sa mère.
Victoria et Shenaz ont toutes les deux
du satin rose. Leurs mamans l'ont
acheté sur le marché. Pour la queue,
il faut une bande de feutrine grise.
–Où est-ce que je vais trouver ça ?
se demande la maman de Jo et Lila.

Mais justement, la maman de Marion
a un bout de feutrine en trop. Voilà
qui tombe bien ! Ce sera pour Jo.
–C'est deux fois trop court ! dit Jo
en se tordant le cou pour regarder
sa queue dans le miroir.
–Mais non, c'est parfait, dit sa mère
d'un ton ferme. Juste la bonne longueur.
Les souris n'ont pas la queue si longue
que ça, tu sais.

– Tu auras tout cousu pour la semaine
prochaine ? s'inquiète Jo.

– Je l'espère bien, répond sa mère.

Pour le moment, le canapé est envahi
de pièces et de morceaux découpés
dans de la peluche grise.

– S'il te plaît, Lila, dit Jo, tu pourras
venir à mon cours de danse, mardi ?
Pour voir si mon costume va bien ?

Lila s'apprête à dire :
«Moi, à la danse ? Tu veux rire ?»
Mais, au fond, elle a très envie de voir
ces fameux costumes ! Alors elle répond :

– D'accord !

Leur mère s'étonne :

– On aura tout vu ! Bon, viens par ici,
Jo, que je vérifie si cette manche est
assez longue.

Le mardi suivant, au moment
de partir pour l'école de danse,
Lila s'écrie soudain :
–Oh! j'oubliais : mon carnet de croquis!
Que j'essaie de dessiner ces souris…

Lila dessine comme d'autres chantent.
Avec elle, tout devient dessin.

Madame Thomas passe en revue
ses souris à la queue leu leu.
Les oreilles de Victoria sont trop molles,
il va falloir les rendre plus raides.
Le collant de Marion est d'un gris
trop foncé, et les manches de Meg sont
trop longues. En revanche,
madame Thomas ne dit pas un mot
de la queue de Jo. Pourtant, elle est bien
plus courte que celle des autres souris !

Les souris filent au vestiaire
pour enfiler leurs collants roses,
puis madame Thomas annonce
à tout le groupe :

– À partir de mardi prochain,
les cours auront lieu à la salle des fêtes
du collège. Comme ça, nous aurons
le temps de bien nous habituer
à la scène et à ses coulisses, avant le jour
du gala. Et j'ai une jolie surprise
pour tout le monde : la petite sœur
d'Audrey, Jessica, est d'accord
pour faire la fée, en haut du sapin
de Noël. Bonne idée, n'est-ce pas ?
Je suis sûre qu'elle nous fera une fée
absolument a-do-rable !

4. Un décor casse-tête

—Heureusement que c'est Jessica
la fée, et pas moi ! dit Lila en sortant
du cours de danse avec Jo et Marion.
Être "absolument a-do-rable",
merci bien ! Mais... je ne savais pas
qu'il y aurait une fée en haut du sapin.
Est-ce qu'il faudra qu'elle reste
tout le temps sans bouger ?

–Comment veux-tu que je le sache ?
répond Jo. Aucune idée de ce que doit
faire la fée ! Je ne savais même pas
que ce serait quelqu'un en vrai.
Moi, je pensais que madame Thomas
accrocherait une poupée, là-haut.
–J'ai vu *Casse-Noisette*, une fois,
dit Marion. Le sapin de Noël devient
immense. Il est magique. Il grandit,
grandit, grandit. Il est bien plus grand
que Clara et le casse-noisette.

–Mais comment va faire
madame Thomas, demande Lila,
pour trouver un sapin si grand ?
–Sais pas, répond Jo.
–Aucune idée, répond Marion
en même temps.
–Et comment va faire la petite sœur
d'Audrey pour se percher en haut
de l'arbre ?
–On vient de te le dire : on n'en sait
rien ! s'énerve Jo. Alors arrête
avec tes questions !

Le mystère du sapin de Noël
s'éclaircit le mardi suivant. Jo l'explique
à Lila, dès son retour de la danse :
– C'est drôlement astucieux, tu verras.
Le sapin est peint sur un immense
triangle en contreplaqué.
Même les décorations sont peintes.
Derrière le triangle, il y a une échelle,
et, tout en haut, une petite plate-forme.
C'est le papa de Morgane qui l'a
fabriquée. De devant, on ne la devine
même pas. Jessica grimpera
sur la plate-forme et elle essaiera
de ne pas bouger. Et tout le monde aura
l'impression qu'elle est perchée en haut
de l'arbre.

–Génial, dit Lila. Je pourrai venir
avec toi, la prochaine fois, pour voir ça ?
–Si tu veux. On demandera à Maman.
C'est la répétition générale,
mardi prochain. Comme ça,
tu nous verras tous en costume.

–Aller au cours de danse avec Jo,
pourquoi pas ? répond leur mère.
Si le cœur t'en dit, et si madame Thomas
est d'accord. Mais je croyais
que tu trouvais ça barbant ?
–Je veux voir ce sapin, dit Lila.
Je veux voir la fée perchée.
–Bien, dit Maman. Je passerai
vous prendre toutes deux à la salle
des fêtes après la répétition générale.

Cette fois encore, Lila n'oublie pas
son carnet de croquis.
Cet arbre de Noël, avec sa fée perchée,
ça devrait faire un beau dessin.

5. Remplaçante au pied levé

— Chut ! chut ! on écoute,
dit madame Thomas au début du cours.

Elle toussote et ajoute :
– J'ai une nouvelle bien ennuyeuse
à vous annoncer. La petite Jessica,
qui devait faire la fée pour nous, vient
d'attraper la varicelle.

Un murmure de déception parcourt
tout le groupe. Même Lila détache
les yeux du grand sapin pour les poser
sur madame Thomas.

–Voilà qui est bien dommage, poursuit madame Thomas. Cette fée vivante, c'était la petite touche de finition de notre spectacle. Et j'avais apporté sa robe pour vous la montrer.
Tenez, la voici…

Elle ouvre un grand sac en plastique
et en tire la robe de fée.
Tout le monde fait "Ooooh !", sauf Lila.
Les yeux s'écarquillent. C'est sûrement
la plus belle robe de la terre entière.
Une vraie robe de fée, toute soyeuse.
Elle est d'un rose de coquillage,
avec d'énormes manches bouffantes.
La jupe est gonflante comme un nuage,
à cause des jupons rose crevette
par-dessous. Des perles et des paillettes
cousues sur la mousseline étincellent
comme de la rosée.
C'est un éblouissement.
Plus personne ne dit mot.

Mais Jo lève la main.

– S'il vous plaît, Madame.
J'ai ma petite sœur qui est là,
ma sœur Lila… Elle pourrait faire la fée.

Tous les regards se tournent
vers Lila.

– Tu veux bien t'approcher, Lila,
demande madame Thomas,
qu'on te voie un peu mieux ?

Lila s'avance en rougissant.

– Hmmm, dit madame Thomas. Ma
foi… Pourquoi pas ? Si tu allais enfiler
cette robe au vestiaire ? Va l'aider, Jo,
s'il te plaît.

Au vestiaire, Lila ronchonne.

– Tu exagères ! Pourquoi tu as dit ça ?

– J'ai dit que tu étais là. C'est la vérité, non ?

– Oui, mais j'ai horreur de ce genre de robe. Tu me vois en fée, franchement ? Moi pas !

– S'il te plaît ! implore Jo. C'est juste pour une fois ! Le spectacle sera gâché, sinon.

– Et les autres ? Personne n'a de sœur ?

– Les sœurs des autres, elles sont ou trop grandes ou trop petites. Alors que toi… Regarde comme elle te va bien !

– Tu veux rire ! J'ai l'air d'un gros bonbon !

– Viens, dit Jo. Viens te faire voir à madame Thomas. C'est elle qui décide.

Madame Thomas décide que Lila est "toute mignonne" !

–Et voilà, conclut Jo. C'est toi qui seras la fée.

Lila a boudé toute la soirée.

Être une fée, passe encore !

Mais dans cette affreuse robe de poupée !

Tout à l'heure, au lieu de dire bonne nuit

à sa sœur, elle lui a lancé :

– Tu sais ce que je voudrais, moi,

maintenant ? Attraper la varicelle !

Mais voilà que, dans le noir,

elle entend un drôle de bruit.

– C'est toi, Jo ? Dis, c'est toi ?

Tu pleures ?

– Dors.

– Qu'est-ce que tu as ?

– Rien, marmonne Jo… Simplement,

c'est trop bête : moi, j'aimerais

tellement être la fée ! Alors que toi,

tu l'es, et ça te met en colère !

Lila s'assoit dans son lit et dit :

– Tu sais quoi ? J'ai une idée. Tu veux

que je vienne te la dire à l'oreille ?

– Ouais, bon, d'accord.

Lila descend de sa couchette perchée
et chuchote son idée à sa sœur.
–Oui mais… est-ce qu'on peut ?
hésite Jo. Tu crois que ça marchera ?
–J'en suis sûre, dit Lila.

Jo est si heureuse qu'elle dépose
un gros bisou sur la joue
de sa petite sœur.
–Hé ! proteste Lila.
Pas besoin d'en faire tout un plat.
Bon, maintenant, bonne nuit !

6. Deux sœurs pour une danse

Les rideaux s'ouvrent et, au fond
de la scène, se dresse un immense sapin
de Noël, avec une fée radieuse à la cime.
Toute la salle applaudit.

– Merveilleux ! murmure la maman
de Marion. C'est votre Lila, tout là-haut ?
– Oui, répond la maman de Lila,
puis elle y regarde mieux et dit : Euh,
non, ce n'est... C'est Jo... mais...
qu'est-ce qui s'est passé ?
– Elle est jolie comme un cœur,
en tout cas, chuchote la maman
de Marion. Vous ne trouvez pas ?

Debout sur la plate-forme
derrière le sapin en contreplaqué,
Jo a le cœur qui bat très fort, d'angoisse
et de joie mêlées. Cette robe est
la plus belle du monde, et c'est elle, Jo,
qui la porte ! Oui, mais… mais que va dire
madame Thomas, si elle s'en aperçoit ?

Pour le moment, madame Thomas
est très occupée à finir de préparer
ses souris en coulisses.

Lila a rassuré Jo, tout à l'heure :
– Tu sais, si ça se trouve,
elle ne s'apercevra de rien. Tourne
la tête un peu de côté ; peut-être
qu'elle ne verra même pas que c'est toi.

Jo tourne la tête un peu de côté.
Tant pis si elle ne voit plus Lila
dans son costume de souris, qui déboule
avec toute la bande.

Mais, quand débute la bataille,
Jo a tôt fait de repérer sa sœur
parmi les autres souris : c'est celle
qui a la queue la plus courte !
Peu importe la queue, d'ailleurs.
Lila est une souris parfaite ; elle s'est
exercée toute la semaine. Et c'est elle
qui brandit le mieux son épée de bois.

Dans la salle, la maman de Marion
chuchote :
– Regardez ! Votre Lila !
La petite souris à la queue courte,
là-bas, c'est bien elle, non ?
– Les chipies ! murmure la maman
de Jo et Lila. Elles ont échangé
leurs rôles. J'aurais dû me douter
que jamais Lila n'accepterait de porter
cette robe rose !

Et madame Thomas ?

Elle a découvert la supercherie, bien sûr !
– Je devrais me fâcher, dit-elle à Jo et Lila
après le spectacle. Mais pour une fois,
je fermerai les yeux. Tu as été une fée
parfaite, Jo. Et toi, Lila, je crois que c'est
la première fois que je vois une souris
aussi agile et combative ! Si tu venais
à mon cours de danse, comme ta grande
sœur ?

–Oh ! non, merci, répond Lila. Je crois
que je vais plutôt demander à Maman
si je peux faire de l'escrime !

L'auteur

Adèle Geras, écrivain anglais, est née
en 1944, et a grandi aux quatre coins
du monde. Après des études d'espagnol
et de français, elle a été chanteuse,
actrice et professeur de français
dans un collège de jeunes filles.
Passionnée de danse, elle est l'auteur
de la série *Graines de ballerine*
en Castor Poche.

Les illustrateurs

Claude et Denise Millet, mari
et femme, travaillent
à « quatre mains » sur les ouvrages
qu'ils illustrent
pour différents éditeurs.
Ils ont illustré *Toto le balai*
dans la série "Loup-Garou".

Autres titres
de la collection

Le marquis tombé du ciel

Sous le regard ébahi de Mathieu et Héloïse
atterrit une montgolfière, avec pour passager
un marquis… du XVIIIe siècle !

Batterie et lunettes noires

Pour s'acheter la batterie de ses rêves,
Morgane répond à une annonce
de baby-sitting. Mais une surprise l'attend !

Une mère sur mesure

Thibaud vit seul avec son père.
Il aimerait bien avoir une maman
comme tous les autres enfants…

Ma meilleure copine

« Le matin de la rentrée, la maîtresse nous a
annoncé que Sarah, ma meilleure copine, ne
reviendrait pas à l'école avant longtemps… »

Castagnette

Son vrai prénom, c'est Marguerite.
Mais à l'école, c'est Castagnette,
parce qu'elle est la reine de la bagarre !